Mésaventures à Bouquinville

Régine Deforges

Mésaventures à Bouquinville

Dessins de Luc Turlan

Albin Michel

« *Il était une fois, dans un hameau perdu au fond des bois, une jeune sorcière qui s'appelait Lola. Elle désirait se perfectionner dans son art car tout son savoir se bornait à transformer hommes ou bêtes en grenouilles...* »
Ainsi débutent les aventures de Lola, petite fille qui, au pays des bonnes sorcières, quitte son village natal afin de poursuivre ses études de sorcellerie et autres tours.
La Sorcière de Bouquinville, *première partie de cette histoire, retrace le chemin qu'elle doit parcourir pour rejoindre Bouquinville, bourgade où enseigne Mélissa, une sorcière confirmée. Lola se met donc en route en compagnie de son amie Philomène, une grenouille qui parle. Elles ne resteront pas longtemps seules : en chemin, une petite troupe de bons camarades se forme autour d'elles, au gré de leurs rencontres. Il y aura d'abord Lysie, jeune sirène, puis un chat, un corbeau, une chouette, un crapaud et un petit chevreau qui, souvent, parlent d'une même voix... Enfin, Loulou, le bon gros loup, viendra se joindre à eux.*
Tous ensemble, ils arrivent à Bouquinville et, après un premier contact peu sympathique avec Mélissa, s'installent non loin de son antre, dans une petite maison. C'est là que nous les retrouvons et que commencent ces Mésaventures à Bouquinville...

Régine Deforges

L'installation de Lola à Bouquinville ne se fit pas sans mal.

Les habitants de la petite ville ne voyaient pas d'un bon œil les nouveaux venus : une apprentie sorcière, passe, mais une apprentie sorcière avec une fille aux cheveux verts, un loup, un chat, un chevreau, un corbeau tout habillé de noir, une grenouille et un vilain crapaud, c'était trop, d'autant que ce petit monde parlait comme vous et moi. Parlait, c'est beau-

coup dire, n'arrêtait pas de jacasser, plutôt, avec de grands éclats de rire.

La sorcière Mélissa, qui louait le logement sous l'église Notre-Dame, se montra plus aimable qu'elle n'en avait l'air et leur prêta ce dont ils avaient besoin. Isabelle, la gentille mercière, les aida à décorer leur nouvelle habitation. Quand tout fut terminé, Lola décida de donner une fête pour la pendaison de crémaillère. La boulangère leur fit porter des gâteaux et ses délicieux macarons, l'épicier leur livra des jus de fruits, la fleuriste de beaux bouquets et Mélissa confectionna sa fameuse mousse au chocolat.

Le jour dit, une dizaine d'invités se pressaient au logis de Lola. Le garde champêtre était venu avec son harmonica, Mademoiselle Estelle, qui tenait l'harmonium à l'église, avec ses chansons, le maire avec une rose de son jardin, le charcutier avec des saucissons, Isabelle avec une belle nappe brodée au point de croix, les libraires avec des livres et des gravures. Chacun fit honneur à la fête et félicita Lola pour son accueil. Au début, les invités se tenaient à l'écart du loup, mais Loulou se montra si doux, si charmant qu'il fit la conquête de tous.

Dans les jours qui suivirent, il ne fut question à Bouquinville que de Lola et de ses amis, puis chacun retourna à ses occupations.

Le directeur de l'école des sorciers, qui s'était fait excuser de ne pouvoir venir, avait fait passer à Lola une sorte d'examen pour évaluer ses capacités à être une bonne sorcière. Il fut surpris des dons de la protégée de Lulu et s'engagea à lui apprendre tout ce qu'il savait sur le délicat

métier de sorcière. Les élèves ne parta-
geaient pas l'enthousiasme du directeur
sur la nouvelle venue, en particulier Alain,
qui était aussi laid que bête et méchant, et
avait sur les autres une mauvaise
influence. Ce n'était pas le cas de Vonvon,

dont les cheveux rouges attiraient les plai-
santeries de ses camarades. Mais il s'en
moquait ; le rouquin n'aimait rien tant
que voguer au fil de l'eau de la jolie rivière,
sur sa barque, à lire un livre ou à regarder
passer les nuages. Très vite, Lola et lui

devinrent amis, et bientôt la maisonnée de
la petite sorcière compta un habitant de
plus, ce qui rendit Alain fou de jalousie.
Pas de jour où il ne lui cherchât querelle.

Sans Vonvon, la vie de Lola à l'école des sorciers eût été insupportable. Grâce à son nouvel ami, la petite fille fit de nombreux progrès et devint la meilleure élève.

Le soir, après la classe, tous deux allaient se promener dans les petits chemins, cueillir des violettes ou ramasser les premières fraises des bois. Ou bien ils glissaient sur la Gartempe jusqu'au mou-

lin de Prunier. Là, habitait Laure, qui n'était autre que la jolie petite fille de la mercière qui les accueillait avec bonne humeur.

Par une douce soirée du mois de juin, Lola, Vonvon, Lysie la sirène, Loulou le loup affectueux, Philomène la grenouille, Minet le chaton, Coco le corbeau, Beau Biquet le gentil chevreau, Hulotte la mignonne chouette et Charmant le crapaud étaient allongés dans le pré du père Duché, bordé par la rivière.

Auprès d'eux, de grands paniers remplis de cerises qui peu à peu se vidaient.

— Il faut en garder pour le clafoutis, s'écria Lola qui s'était intronisée «Reine du clafoutis».

Au ciel, montaient les premières étoiles.

— Nous devons partir, dit Lola en soupirant. Où est Philomène ?

– Philomène, appelèrent ses amis.

Pas de réponse. Lola s'approcha de l'eau : sur un gros rocher rond et doux, Philomène était en conversation avec une splendide grenouille.

– Philomène, cria Lola pour couvrir le bruit du courant.

Philomène sursauta et, par réflexe, se jeta dans l'eau, suivie par son compagnon.

– Je vais la chercher, dit Lysie qui plongea à son tour.

Elles tardaient à revenir ; bientôt, il ferait nuit. Enfin, la sirène et la grenouille réapparurent.

– Ce n'est pas trop tôt, fit Lola avec humeur.

Suivie de Vonvon, de Loulou et de Beau Biquet, elle partit sans se retourner, rejointe par Minet, Coco et Hulotte qui voletaient autour d'eux. La petite troupe marchait en silence ; la nuit était tombée.

Une à une, les lumières de la ville s'éteignirent. Quand ils arrivèrent devant le Vieux Pont, l'obscurité était totale, à peine distinguait-on la silhouette massive de Notre-Dame. Soudain, un groupe de sorciers, à califourchon sur leurs balais, leur barra la route avec des ricanements. Lola tenta de parlementer.

— Nous aussi, nous sommes des sorciers, laissez-nous passer.

— Vous, des sorciers ? gronda une voix rocailleuse. Vous entendez, les amis, ce sont des sorciers !

Un coup de balai envoya promener Minet et Beau Biquet, un autre fit perdre à Coco quelques plumes, un autre encore précipita Philomène par-dessus le parapet et Lysie à sa suite. Loulou gronda, planta ses crocs dans le mollet de celui qui semblait le chef et le fit tomber de son balai qui s'envola. Aussitôt, le sorcier se mit à pousser des piaillements.

– Lâche-le, ordonna Lola.

– Pourquoi ? C'est un méchant, il faut lui donner une leçon.

– Laisse, je te dis.

A regret, Loulou lâcha sa proie qui s'enfuit en boitillant. De son côté, Vonvon avait agrippé un sorcier qu'il giflait à tour de bras tandis que Coco donnait des coups de bec sur le crâne des autres. Bientôt, à leur tour, ils s'enfuirent, abandonnant leurs montures.

Le bruit de la bagarre avait réveillé quelques habitants qui écartaient leurs volets prudemment. Lorsqu'ils reconnurent Lola et ses amis, ils les ouvrirent en grand.

– Mais enfin, que se passe-t-il ? Pourquoi ce charivari ?

– On nous a attaqués, clama Lysie qui était sortie de l'eau.

– Qui, mon Dieu ?

– On ne sait pas, c'étaient des sorciers.

Dans chacune des maisons on s'écria :

– Des sorciers !

– Oui, regardez, on a récupéré leurs balais.

Lola et Vonvon brandissaient leur butin.

Une à une les persiennes se refermèrent et les lumières s'éteignirent. Lola et ses compagnons ne savaient que penser.

– Allons nous coucher, dit Lola, on verra demain.

En silence, ils regagnèrent leur logis qu'ils barricadèrent avec soin. Ils mirent longtemps à trouver le sommeil, un sommeil peuplé de cauchemars.

Le lendemain matin, le réveil fut difficile.

Les gendarmes vinrent enquêter sur l'agression nocturne dont avaient été victimes Lola et ses amis. D'un air sérieux, ils recueillirent les témoignages. Le chef se grattait la tête sous son képi : pour une sale histoire, c'était une sale histoire, et

cela peu avant le Grand Salon de la sorcellerie qui devait se tenir le mois suivant
et auquel devaient assister les sorciers les
plus célèbres du pays. Cette manifes-
tation avait fait la renommée de
Bouquinville et attiré de nombreux
libraires spécialisés, des calligraphes et des
relieurs qui avaient ouvert boutique dans
les rues de la Vieille Ville, à l'ombre du
clocher de Notre-Dame. A cette occasion

venaient les meilleurs fabricants de balais qui présentaient leurs nouveaux modèles. Bref, c'était pour Bouquinville une source de revenus non négligeable mais aussi de prestige. Le maire s'arrachait les cheveux, sous les ricanements des conseillers municipaux de l'opposition qui, en secret, se félicitaient de ne pas être aux affaires. Des enquêteurs vinrent de la capitale, les chaînes de télévision installèrent leurs caméras devant l'habitation de Lola. Le jour de l'inauguration du salon, le Premier ministre et le ministre de l'Intérieur se bousculèrent pour figurer sur la pellicule. Devant tant d'agitation, Lola et Vonvon enfourchèrent leurs balais, emmenant avec eux Loulou, Philomène et les autres, et allèrent demander asile à la châtelaine de Prunier qui était elle-même un peu sorcière. La brave femme les cacha dans les oubliettes où ils attendirent qu'on ne pensât plus à eux, ce qui arriva très vite :

une épidémie, des inondations, des incendies appelèrent ministres et médias sans qui ces événements n'eussent été que des non-événements.

Le Grand Salon de la sorcellerie attira bon nombre de sorciers, des importants et des petits, des vrais et des charlatans. Il se vendit beaucoup de livres traitant du sujet ainsi que des manuels donnant des recettes de mauvais sort, il y eut de nombreuses consultations sur l'avenir, d'essais de balais et de vente d'ingrédients divers. Bref, le commerce fut florissant. Seuls

Lola et ses amis se tinrent à l'écart, encore traumatisés par l'attaque dont ils avaient été victimes. Qui avait voulu leur faire du mal ? Vonvon avait bien une idée, mais il préférait en être sûr avant d'en faire part à Lola. De son côté, Lola menait son enquête. Ce fut la mercière qui, la première, sans même s'en rendre compte, tira le bout du fil : autrefois, il y avait longtemps longtemps, existait entre les habitants de Bouquinville et ceux d'une ville voisine, Aigleville, une rivalité sanglante qui s'était manifestée jusqu'à la dernière guerre. Peu à peu, on avait oublié les raisons de cette rivalité. Ce fut dans un vieux livre acheté à un libraire aussi ancien que son bouquin qu'Isabelle retrouva cette histoire qu'elle croyait du domaine du conte. Il y avait eu à Aigleville une école fameuse de sorciers tenue par deux frères. L'un d'eux tomba amoureux d'une de ses élèves, ce

que l'autre n'approuva pas. Il le somma de choisir : soit lui et l'école, soit la fille. Le jeune homme choisit la fille et vint s'établir à Bouquinville. Il y fonda son école de sorcellerie qui bientôt supplanta celle de son frère. Pendant des décennies, les deux garçons se jouèrent les plus vilains tours, transformant leurs demeures en tas de charbon, en cloaques immondes, en essaims de guêpes, en puits sans fond. Après leurs maisons, ils s'en prirent à leur personne : un jour l'un d'eux se retrouvait avec une trompe d'éléphant et des pattes de lapin, l'autre avec une tête de chat et une tête de chien qui ne cessaient de se battre, avec des pieds de bouc, une tête de gorgone, une bouche crachant des crapauds et des scorpions, ou du feu qui brûlait dans son ventre. Toutes ces transformations semaient la terreur dans les deux villes dont les habitants respectifs s'étaient rangés aux côtés de leur sorcier.

Après la mort des deux frères, leurs écoles furent reprises par leurs enfants qui poursuivirent la querelle de leur père, comme les habitants des deux villes. Cela dura trois cents ans. Pendant les quatre années de guerre on oublia la querelle et voilà qu'elle ressurgissait avec Lola et ses compagnons. Il n'en fallut pas plus pour que,

du jour au lendemain, la petite fille devînt la bête noire des Bouquinvillais. Au coin des rues, des femmes la prenaient à partie, la houspillaient, lui tiraient les cheveux, des gamins lui lançaient des pierres en criant :

— Hou ! la sorcière !

Les gendarmes, devant le trouble de l'ordre public, se présentèrent au domicile de Lola et menacèrent de l'expulser de la ville. De son côté, le directeur de l'école de sorciers lui fit dire de ne pas revenir à la rentrée ; sa présence n'était pas désirée.

Lola ne comprenait pas la raison de tant de haine. Seules la mercière et la boulangère se montrèrent solidaires et prirent sa défense, ce qui ne plut pas à leurs clientes qui peu à peu désertèrent leurs boutiques.

Vonvon, lui aussi, avait été renvoyé de l'école et craignait les réactions de ses parents, sorciers émérites. Les deux enfants envisagèrent de quitter Bouquinville, mais pour aller où ? Ils n'avaient ni argent ni amis. Bientôt on manqua de tout dans la maison et, sans la générosité de la boulangère, tous auraient souffert de la faim malgré le gibier que ramenait Loulou et que cuisinait Mélissa.

Un soir, Vonvon arriva chez Lola avec un air triomphant.

– J'ai découvert qui est le chef de la bande qui nous a attaqués, dit-il.

– Qui est-ce ? s'écrièrent-ils en chœur.

– Alain.

– Alain ?

– Oui, c'est lui que Loulou a mordu ; depuis, il boite. Il faut en avertir les gendarmes qui feront examiner sa jambe par un médecin.

Ce qui fut dit fut fait et, le lendemain, les gendarmes se présentèrent au logis des parents d'Alain. Celui-ci le prit de haut mais dut finir par accepter de se laisser examiner. Le médecin reconnut qu'il s'agissait bien d'une morsure de loup qui s'était infectée. Comme il avait eu à se plaindre des mauvais procédés d'Alain, il résolut de lui faire peur.

— Voici une mauvaise blessure. Comme je ne sais pas quel animal t'a fait cela, un vampire peut-être, il va falloir te couper la jambe, sinon tu vas mourir.

Alain se mit à pousser des hurlements.

— Non, par pitié, ne me coupez pas la jambe !

— C'est le seul moyen. Si seulement je savais qui t'a mordu.

— C'est le loup.

— Le loup ? Quel loup ?

– Celui de Lola.

– C'est donc toi et tes amis qui l'avez attaquée ?

– Oui, docteur.

– Vous avez entendu, messieurs ? demanda le médecin aux gendarmes.

– Oui. Le responsable de tout ce désordre n'est pas la jeune sorcière, mais ce méchant garçon. Nous allons le conduire en prison.

– Non, pitié, monsieur le gendarme, je vous demande pardon.

– Ce n'est pas à moi qu'il faut demander pardon mais à Lola.

– Elle ne voudra jamais me pardonner.

– On va voir. Qu'on aille la chercher. Pendant ce temps-là, le docteur va te couper la jambe.

Alain sanglotait, ses parents aussi. Quand Lola arriva, elle les trouva serrés les uns contre les autres. Gentiment, elle demanda :

– Pourquoi pleurez-vous ?

– On va me couper la jambe parce que ton loup m'a mordu.

Le loup le regarda avec étonnement. Se tournant vers le médecin, Lola le questionna :

– C'est vrai, docteur ?

– Cela aurait été vrai si Alain n'avait pas reconnu que le loup l'avait attaqué pour te défendre. Alors je n'aurais pas su d'où provenait cette morsure.

– Je te demande pardon, Lola. Plus jamais je ne t'attaquerai, je le jure. Pardonne-moi.

– Je te pardonne. Mais à cause de toi, personne ne nous aime à Bouquinville.

Elle détourna la tête pour cacher ses larmes.

– Voulez-vous porter plainte, mademoiselle ? demanda le capitaine de gendarmerie.

Lola regarda longuement Alain et ses parents.

– Non, fit-elle, ce n'est pas la peine.

– Vous êtes une brave petite, dit le médecin. Tu entends, garnement, Lola ne porte pas plainte. J'espère que cela te servira de leçon.

– Oh oui, docteur ! …Et pour ma jambe ?

– Dans deux semaines il n'y paraîtra plus. Je vais te faire un pansement qu'il faudra changer tous les jours.

Comme Lola allait partir, Alain lui dit d'une petite voix :

– Merci.

Editions Albin Michel
22, rue Huyghens
75014 Paris
www.albin.michel.fr
ISBN : 2.226-15653-4
Achevé d'imprimer en France par Pollina, Luçon
N° d'impression : L95919
N° d'édition : 23264
Dépôt légal : février 2005